AVENTURAS MATEMÁTICAS

La Caverna de los PIRATAS

DAVID GLOVER

Montena

La caverna de los piratas
Título original: *The Cavern of Clues*

Texto: David Glover
Ilustraciones: Tim Hutchinson
Edición: Lauren Taylor
Asesoría de traducción: Penny Glover

Publicado en Estados Unidos por
QEB Publishing, Inc.
3 Wrigley, Suite A
Irvine, CA 92618

D.R. © 2012 de esta edición en español para México,
Random House Mondadori, S.A. de C.V.
Av. Homero núm. 544, col. Chapultepec Morales,
Del. Miguel Hidalgo, C.P. 11570, México, D.F.

Primera edición en México: abril de 2013

www.megustaleer.com.mx

Comentarios sobre la edición y contenido de este libro a:
megustaleer@rhmx.com.mx

ISBN: 978-607-31-1348-9

Impreso en China / *Printed in China*

Cómo comenzar esta aventura

¿Estás preparado para esta gran aventura con sus giros inesperados y emocionantes acertijos por resolver? Entonces este libro es perfecto para ti.

La Caverna de los Piratas no es un libro común. Las páginas no se leen en orden: 1, 2, 3... sino que deberás saltar de una página a otra e ir de adelante hacia atrás a medida que se va desarrollando la historia. Quizá pierdas el rumbo, pero la historia te llevará de regreso al camino correcto.

La historia comienza en la página 4. Pronto encontrarás problemas que tendrás que resolver y decisiones que tomar. Las opciones serán parecidas a las siguientes:

Si crees que la respuesta correcta es A, ve a la página 10

Si crees que la respuesta correcta es B, ve a la página 18

Tu tarea consiste en resolver cada problema y escoger la opción correcta. Si piensas que la respuesta correcta es A, deberás ir a la página 10 y buscar el símbolo ⚙. Ahí encontrarás la continuación de la historia.

¿Pero qué sucede si no escoges la opción correcta? No te preocupes. El texto te explicará en dónde te equivocaste y tendrás que regresar para intentarlo de nuevo.

Los problemas de esta aventura están relacionados con cálculos aritméticos. Para resolverlos tienes que sumar, restar, multiplicar y dividir. En la página 44 hay un glosario con definiciones que te ayudarán a entender y resolver los problemas.

A lo largo de la búsqueda encontrarás un anillo y otros objetos que vas a guardar en la bolsa que llevas contigo. Haz una lista de los objetos que vayas encontrando. La vas a necesitar para completar esta travesía con éxito.

¿Estás preparado? Pasa la página y ¡que comience la aventura!

Bienvenido a la Caverna de los Piratas

Estás de paseo con tus amigos en una emocionante jungla. Todos disfrutan del calor del sol y de la maravillosa fauna cuando de repente escuchas un aleteo encima de ti.

Luego, un pergamino cae del cielo y aterriza en tus manos. ¡Es el mapa de un tesoro pirata! No puedes resistir la tentación de buscarlo.

Pero, ¿qué tendrás que hacer para buscar el tesoro? El mapa te guía hacia la Caverna de los Piratas, que es oscura y tenebrosa. Miras el mapa nuevamente. Sus acertijos podrían llevarte hasta el oro pirata.

El tesoro será tuyo si sigues las pistas y resuelves los acertijos, pero si te equivocas, podrías quedar atrapado en la caverna ¡para siempre!

Primero, debes conseguir los cuatro signos secretos de los cuatro hermanos piratas: Barba Gris, Barba Roja, Barba Azul y Barba Negra. Sólo así lograrás ver con claridad el camino hacia el tesoro.

Si estás preparado para esta aventura, ve a la página 14

Si no estás seguro, ve a la página 29

Para encontrar el signo secreto de Barba Roja tienes que asustar a los piratas para que salgan de la cueva, pero primero tienes que encontrarlos.

Algunas huellas de manos apuntan a la izquierda, otras, a la derecha. Luego, ves una instrucción pintada en una piedra. Las manos tienen fracciones escritas en ellas.

Tres manos te muestran qué camino tomar. Hay tres fracciones iguales en una fila.

Si te vas por la izquierda, ve a la página 40

Si te vas por la derecha, ve a la página 9

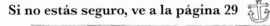

0.5 $\frac{1}{2}$ 50%

0.4 $\frac{1}{4}$ 40%

4

Asientes con la cabeza. Barba Roja lo hizo bien.

Trece para cada uno es lo correcto, pero Barba Roja se queda además con las 5 que sobran y los otros piratas se molestan.

Ve a la página 19

 Te subes a la carretilla de la izquierda y arrancas. La carretilla avanza a gran velocidad. Adelante sólo ves un gran espacio vacío. ¡Es la boca de un volcán subterráneo! La lava burbujea y salta a cientos de metros bajo tus pies.

Te desesperas y miras alrededor. Encuentras una palanca oxidada en la carretilla y tiras de ella: ¡es el freno! La carretilla rechina y se detiene justo en el borde del cráter. Te bajas y regresas caminando por los rieles con cuidado.

¡Escogiste la dirección incorrecta! $11 \times 9 = 99$ y $12 \times 8 = 96$. Así que la afirmación es: "$11 \times 9 > 12 \times 8$". El símbolo $>$ significa "mayor que".

Ve a la página 29

Metes la llave 5 en la cerradura y tratas de darle vuelta. No sucede nada. ¡No es la llave correcta! El suelo tiembla bajo tus pies y el reborde comienza a derrumbarse. Puedes ver las piedras cayendo en el abismo. Muy pronto se derrumbará el pedazo de suelo en donde estás parado.

El número que falta hace que el segundo número sea mayor que 50, así que el primer número tiene que ser menor que 50 para que ambos den un total de 100. ¡Rápido, vuelve a intentarlo!

Ve a la página 16

¡Es la antorcha correcta! Al agarrarla, su llama comienza a alumbrar mucho más. Con ella iluminas el camino en el túnel.

Pero espera, ¿es eso el sonido de unas alas? ¿Te estará siguiendo alguien?

Ve a la página 23

¡Buena elección! Puedes ver la luz del día a través del pasadizo. Un estimado de 39×61 es $40 \times 60 = 2400$.

Ve a la página 18

Ves una montaña de balas de cañón en medio de dos cañones. Las balas tienen números.

Alguien ha puesto un papelito entre ellas. Lo sacas y lees el mensaje...

Encuentra dos balas que sumen 500.
Llena los cañones, pero con los números
correctos. Si te equivocas estarás
en peligro.

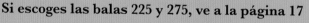
Si escoges las balas 225 y 275, ve a la página 17

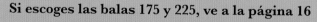
Si escoges las balas 175 y 225, ve a la página 16

6

¡Es el número correcto! Escribes el número en tu libreta para no olvidarlo.

3, 6, 12,

Más adelante, una tenue luz atrae tu atención. ¡Es el reflejo de tu vela en las aguas de un río subterráneo!

El río se ve oscuro, profundo y frío. Su corriente se mueve rápidamente en la cueva. El mensaje decía que no ibas a encontrar el signo en tierra firme. Supones que debes ir por agua, pero ¿cómo? Está muy frío y es peligroso nadar en ella.

De repente, ves un bote de remos de madera. Parece viejo y podrido, pero todavía flota. El bote está atado a una cadena larga. En un letrero de madera hay una instrucción...

Tira la cadena hacia ti
y cuenta cada eslabón.
No cuentes ni mucho ni poco
o te puedes hundir.

	m	c	d	u
	4	3	5	1
−	4	3	2	7

Crees que el resultado de la resta te dará el número de eslabones que necesitas para acercar el bote. Tiras la cadena y vas contando los eslabones uno por uno: 1, 2, 3…

Si cuentas 34 eslabones, ve a la página 23

Si cuentas 24 eslabones, ve a la página 38

 Ahora que tienes el signo de Barba Roja debes apresurarte a la entrada de la Caverna de los Piratas para explorar otra parte de la cueva. Ya no hay rastro de los piratas. El oso los asustó y corrieron hacia la selva.

Ve a la página 14

Un camino te lleva a través de la selva hacia una ladera. Luego ves un letrero. Debes regresar a la entrada de la Caverna de los Piratas para explorar otra parte de la misma.

Ve a la página 14

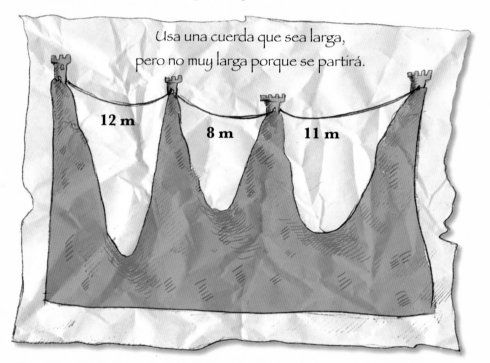

Agarras la vela y la llevas a lo largo del camino. De repente, un fuerte chillido hace que te detengas. Un paso más y hubieras caído en un abismo. Te asomas y tratas de iluminarlo con la luz de la vela, pero no logras ver el fondo.

Al mirar el mapa del tesoro ves que ahí están los abismos. Una ilustración te muestra cómo puedes pasarlos....

Usa una cuerda que sea larga,
pero no muy larga porque se partirá.

12 m   **8 m**   **11 m**

Encuentras tres cuerdas en el borde del primer abismo. ¿Cuál de ellas medirá lo mismo que la suma de los tres abismos y llega hasta otro lado?

Si escoges la cuerda de 29 m, ve a la página 37

Si escoges la cuerda de 31 m, ve a la página 17

Si escoges la cuerda de 33 m, ve a la página 33

Tiras de los nudos, pero parece que te aprietan cada vez más. Quizá te equivocaste y vas a quedar atrapado ¡para siempre!

Apúrate, asegúrate de colocar los signos en el orden correcto.

Ve a la página 34

Al otro lado de la telaraña el túnel se divide en dos pasillos. ¿Qué camino habrán tomado los piratas? Las huellas han desaparecido.

De repente, ves números pintados en el suelo. ¿Estarán relacionados con el plano de la mina?

1264   1284

¿Cuál camino debes escoger? De repente, una corriente de aire caliente arrastra polvo y basura alrededor de tus pies. Ahí ves una hoja que pertenecía al ingeniero de la mina. Es un problema de multiplicación largo que no está completamente resuelto. Tienes que completar la multiplicación para saber cuál camino seguir.

m	c	d	u
	2	1	4
			6
×			
			4

Si tomas el túnel 1264, ve a la página 31

Si tomas el túnel 1284, ve a la página 42

¡Escogiste la dirección correcta! Más adelante el túnel desciende vertiginosamente. Hay una especie de escalera en la roca que usas para bajar.

Ve a la página 36

9

Sigues el mapa hacia el Túnel del Miedo y te paras nervioso en la entrada. Sientes un viento frío que silba a lo largo del túnel y que te eriza la piel... De repente, escuchas un suave aleteo detrás de ti. Por alguna razón ya no sientes miedo y sigues tu camino con confianza.

Ve a la página 28

 Sales de la jaula y caminas por el pasillo sin hacer ruido. Hay una montaña de barriles. ¡Es pólvora! Barba Azul y su grupo van a volar el túnel para encontrar el resto de los diamantes.

Te escondes detrás de los barriles. Luego ves un trozo de papel. Son las instrucciones. Seguramente los piratas las han perdido. Los piratas están colocando demasiados barriles para la explosión. ¿Será mucha pólvora?

Cada barril tiene una etiqueta con su peso: 3.5 kg. Cuentas 14 barriles y calculas la cantidad de pólvora que los piratas han puesto.

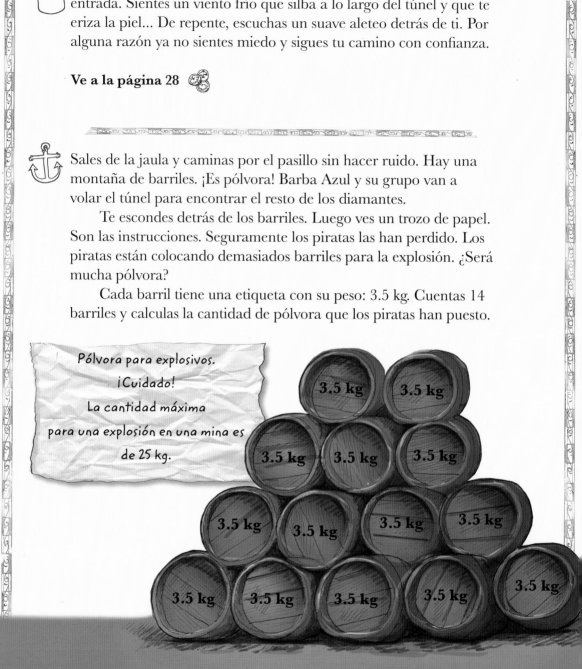

Pólvora para explosivos.
¡Cuidado!
La cantidad máxima para una explosión en una mina es de 25 kg.

Si crees que la explosión es peligrosa, ve a la página 38

Si crees que la explosión no es peligrosa, ve a la página 40

¡Son las piedras correctas! (6 × 6 = 36, 9 × 4 = 36, 3 × 12 = 36.) Te paras en estas piedras y llegas a salvo al otro lado.

Ve a la página 27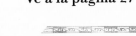

En la cueva, caminas por detrás de unos barriles etiquetados. Las etiquetas que dicen lo que cada uno contiene están del lado de los piratas, y no puedes recordar cuál es el que tiene la miel.

De repente, ves un mensaje en la pared...

La miel está en el barril = 253 ÷ 11

Si crees que la miel está en el barril 21, ve a la página 30

Si crees que la miel está en el barril 23, ve a la página 28

¡Es el número correcto! La mano del capitán se mueve mientras dices 192. El anillo se desliza por su dedo y rueda sobre la mesa. Lo agarras y corres de regreso por donde viniste: a través del barco, el lago, la cueva, el borde hasta llegar a la entrada de la Caverna de los Piratas. Ahora tienes que explorar los otros túneles de la cueva.

Ve a la página 14

Aquí está la entrada al Túnel Sin Regreso. El oro de los piratas está allá adentro, pero ¿serás tan valiente y audaz para llevártelo?

De repente, como por arte de magia, una hermosa guacamaya se posa en tu hombro. Es una guacamaya escarlata llamada Polígono, y es ella la que te ha estado ayudando todo este tiempo.

—¡Sin miedo! ¡Sin miedo! ¡Polígono está aquí! —grita la guacamaya.

La voz del pájaro te da confianza y caminas hacia el túnel.

Ve a la página 38

El río pasa a través de cuevas espectaculares. Más adelante puedes ver que el río desemboca en un gran lago, y que en medio del lago hay ¡un antiguo barco pirata!

En ese momento algo golpea el bote. Miras hacia un lado y ves un barril. Lo sacas del agua y lees un mensaje escrito por un pirata...

Tengo 50 y me suman 24, luego me quitan 15, después me restan 11. ¿Cuánto queda?

Crees que el resultado es otro número que vas a necesitar para seguir tu búsqueda...

Si crees que el número es 48, ve a la página 21

Si crees que el número es 52, ve a la página 40

¡Escogiste el número correcto! Cuentas cuatro fósforos y usas uno para encender la lámpara.

Ve a la página 36

Agarraste el número de tablas correcto $(80 \div 5 = 16)$. Logras llevarlas contigo, las colocas a lo largo de los charcos, pasas sobre ellas y llegas al otro lado rápidamente.

Ve a la página 39

Estás parado en un borde muy estrecho, al otro lado del abismo. Y ahora ¿para dónde debes ir: a la izquierda o a la derecha? Debes moverte con cuidado para no caer en la oscura profundidad que hay bajo tus pies.

Luego ves un mensaje en la piedra...

¡Sigue la suma mayor!

Si esta suma es mayor, dobla a la izquierda

	m	c	d	u
+	4	4	1	2
	3	5	3	6

Si esta suma es mayor, dobla a la derecha

	m	c	d	u
+	5	3	5	8
	2	5	3	2

Si doblas a la izquierda, ve a la página 41

Si doblas a la derecha, ve a la página 39

El mapa del tesoro indica que en la cueva hay cuatro túneles. Una X señala en dónde está el tesoro. ¿Cuál túnel deberás seguir?

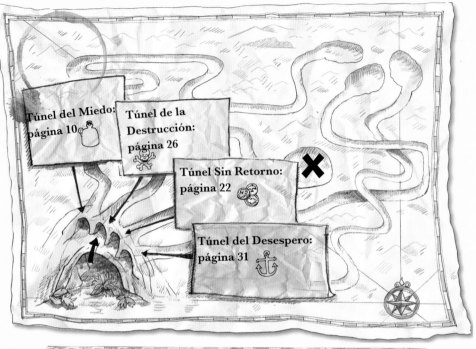

Túnel del Miedo: página 10

Túnel de la Destrucción: página 26

Túnel Sin Retorno: página 22

Túnel del Desespero: página 31

 La explosión dejó un montón de piedras en medio del túnel, pero logras encontrar dos pasadizos. ¿Por cuál debes pasar? Al acercarte, ves el brillo de los diamantes en las rocas. Luego ves un mensaje en el polvo, que parece escrito como con una pluma.

2400   2500

Si vas por el pasadizo 2400, ve a la página 6

Si vas por el pasadizo 2500, ve a la página 41

Vete por el pasadizo que está más cerca de 39 × 61

Barba Negra no sabe que ya tienes los otros tres signos.

Así que le sigues el juego.

—Compartiré tu tesoro, Barba Negra, pero primero tienes que darme ese cinturón con la brocha de oro —dices.

Barba Negra sonríe al pensar que te ha engañado. Cree que estás impresionado con el oro. Se quita el cinturón y te lo pasa a través de las sogas. Cuando lo estás agarrando, él te tira hacia los aros y se sale. Luego se ríe a carcajadas.

—Te puedes quedar con el tesoro, amigo, que poco vas a aprovechar si te quedas atrapado aquí para siempre —dice.

Y despidiéndose con su sombrero, desaparece rumbo al mar, pero ahora ¡tú tienes los cuatro signos!

Ve a la página 34

Estás adentro de un cuarto en las rocas. Se siente cálido. De repente, escuchas una respiración fuerte que viene de un rincón. Te acercas y miras. ¡Es un gran oso pardo dormido! Sus pezuñas son largas y afiladas y sus dientes parecen dagas.

El oso comienza a moverse. ¿Qué harás para que siga dormido? Luego ves un mensaje escrito en la pared.

Cuenta para que el oso duerma.
Si se despierta, te comerá.
Cuenta hasta que llegues al número que falta aquí:
$$500 \div ? = 5$$
y luego escapa sin miedo.

Si cuentas hasta 50, ve a la página 26

Si cuentas hasta 100, ve a la página 29

15

Colocas las balas en los cañones, pero ¡no son las correctas! Los cañones se disparan y producen un fuerte estruendo. ¡Es una señal!

Los esqueletos piratas cobran vida y se acercan a ti amenazándote con sus pistolas y sables. ¡Corre y salva tu vida!

Luego, ves que algo vuela hacia la punta del mástil y tira de unas cuerdas. La vela se derrumba y los piratas quedan atrapados debajo de ella. ¡Alguien te está ayudando!

El resultado de 175 más 225 es 400, no 500.

Ve a la página 6

Ve a la página 6

En un gancho al lado de la reja hay un juego de llaves oxidadas. El llavero tiene un papel con una instrucción…

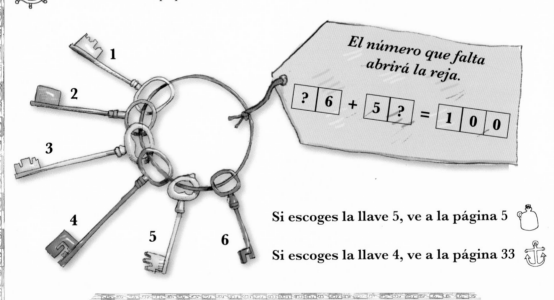

El número que falta abrirá la reja.

$$\boxed{?}\,\boxed{6} + \boxed{5}\,\boxed{?} = \boxed{1}\,\boxed{0}\,\boxed{0}$$

1

2

3

4

5

6

Si escoges la llave 5, ve a la página 5

Si escoges la llave 4, ve a la página 33

Evitas pisar la tabla Y. Cuando estás a punto de pisar la tabla X, un fuerte chillido te advierte que no lo hagas. X es la tabla débil, no la Y. El resultado de 6 x 150 es 900. La tabla 900 está casi al final de la línea de números.

Ve a la página 18

Lanzas la cuerda y llega sin problema al otro lado del abismo. El gancho de la cuerda se atasca en una grieta en la piedra. Compruebas que la cuerda está bien asegurada y empiezas a deslizarte sujeto a ella y con mucho cuidado hasta llegar al otro lado. Era la cuerda correcta.

Ve a la página 13

Colocas las balas en los cañones. ¡Son las correctas! El peso hace que las balas rueden por la cubierta hasta chocar y romper una puerta al lado del timón. ¡Es el camarote del capitán!

Ve a la página 32

Sigues hasta el final del camino y llegas a la cueva secreta de los piratas. Está llena de barriles de comida, bolsas de especias, rollos de seda y un cofre lleno de cosas robadas. Ahí ves a los piratas sentados en círculo alrededor del capitán: ¡Barba Roja!

    Barba Roja está repartiendo las monedas, pero ¿lo estará haciendo bien? Hay 200 doblones para compartir entre 15 piratas incluyéndolo a él. A cada uno le tocaron 13 doblones y sobraron 5. Algunos piratas creen que Barba Roja se equivocó.

Si crees que la división es correcta, ve a la página 5

Si crees que la división es incorrecta, ve a la página 39

Mientras corres hacia el pasadizo escuchas a los piratas justo detrás de ti. Pero espera, se han detenido porque ¡acaban de ver los diamantes! El único que sigue persiguiéndote es Barba Azul. Más adelante ves que el pasadizo llega a un desfiladero en la selva. Luego ves una cuerda en un puente que cruza el desfiladero. ¿Soportará tu peso? En el puente hay un letrero...

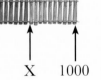

La mayoría de mis tablas son resistentes, pero si te paras en la 6 x 150 no sobrevivirás

Notas que las tablas del puente tienen números que van de cien en cien. Forman una línea de números con el 100 en un extremo y con 1000 en el otro. ¿Dónde estará la tabla 6 x 150?

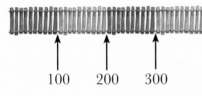

| 100 | 200 | 300 | Y | X | 1000 |

Si crees que 6 ✕ 150 está en X, ve a la página 41

Si crees que 6 ✕ 150 está en Y, ve a la página 16

Comienzas a decir 96... y los ojos del capitán brillan mientras sus huesudas manos buscan una daga, pero un fuerte chillido no te deja terminar de decir el número. ¡Es el número incorrecto!

La regla consiste en "doblar el último número para conseguir el número que sigue en la serie". El 96 es el próximo número, pero en realidad estás buscando el segundo número que falta, es decir, el número que le sigue a 96. ¿Cuál es el doble de 96?

Un poco más adelante, el túnel se ensancha. Sigues el camino con la vela en la mano. La luz titilante te muestra que has entrado a una cueva. El techo se eleva sobre tu cabeza como si fuera una cúpula. Sientes que algo se mueve allá arriba y escuchas chillidos y aleteos. ¡Son cientos de murciélagos gigantes! Algunos están suspendidos como frutas peludas, otros vuelan en picada hacia todas las direcciones.

En el suelo hay una losa que tiene tallada una calavera, dos huesos y un mensaje...

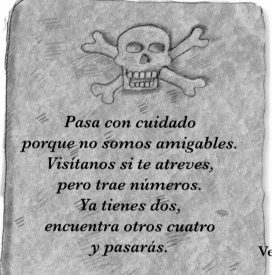

Pasa con cuidado
porque no somos amigables.
Visítanos si te atreves,
pero trae números.
Ya tienes dos,
encuentra otros cuatro
y pasarás.

Ve a la página 30

Los piratas discuten cada vez más fuerte. ¡Es tu oportunidad! Si los sorprendes y asustas hasta sacarlos de la cueva, entonces el signo pirata será tuyo.

Pero ¿cómo puedes asustarlos? Buscas alrededor de la cueva. De repente lo ves, un barril que dice "miel". ¡Eso es! Un barril de miel y un oso gigante es lo que necesitas.

Ve a la página 11

MIEL

19

La carretilla se detiene al lado de una cabina, que está en la parte superior de un orificio profundo. ¡Las voces vienen de ahí abajo! ¡Allá están los piratas!

La cabina es un ascensor que sirve para subir y bajar a los mineros y sus herramientas. En la puerta de la cabina hay un letrero con unas instrucciones y una tabla de multiplicar...

El último diamante lo encontrarás en el nivel **V**.
Mueve la palanca con cuidado, y no te detengas en el nivel **T**.

Tienes que descubrir qué es "V" y qué es "T" usando la tabla de multiplicar, así podrás ir al nivel correcto.

X	1	2	3	4	5	6	7	8	9	10
7	7	14	21	V	35	42	49	56	63	70
8	8	16	24	32	40	48	56	64	72	80
9	9	18	T	36	45	54	63	72	81	90

Si te vas al nivel 28, ve a la página 30

Si te vas al nivel 27, ve a la página 21

¡Ésos son los números correctos! Cada línea diagonal suma 20.

Sacas tu libreta y escribes los números porque el mensaje decía que los ibas a necesitar: "cuando encuentres a la tripulación pirata".

Ve a la página 8

3, 6

El túnel está muy oscuro, pero en la entrada encuentras una lámpara de aceite y una caja de fósforos. Agarras los fósforos para encender la lámpara y ves que en la caja hay una instrucción.

Hay 24 fósforos en esta caja para compartir entre seis personas incluyéndote a ti. Toma lo que te corresponde, y la lámpara se encenderá.

Si agarras 6 fósforos, ve a la página 35

Si agarras 4 fósforos, ve a la página 13

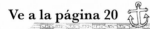

Subes al ascensor, mueves la palanca y la cabina desciende. Una aguja se mueve en un monitor y te indica en qué nivel estás. Te detienes en el nivel 27 y abres la puerta.

Unos brazos peludos se meten en la cabina. Las manos huesudas y sucias te agarran y tratas de escaparte. De repente, algo chilla y vuela hacia el monstruo. Por un momento, él saca los brazos de la cabina y aprovechas para cerrar la puerta.

¡Tomaste la decisión equivocada! ¡3 × 9 es 27!

Ve a la página 20

¡Es el número correcto! Escribes el número en tu libreta. ¿Ves alguna semejanza entre los números?

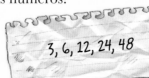

3, 6, 12, 24, 48

Luego agarras los remos y remas hacia el barco pirata.

Ve a la página 35

Corres junto con la banda y te proteges detrás de una piedra. Luego, ves un gran destello seguido por un fuerte estruendo. Una nube de polvo se esparce en el túnel y los piratas comienzan a toser y a rascarse los ojos.

Te asomas por encima de la piedra y ves a Barba Azul al lado tuyo. Notas que en el cuello tiene una medalla de oro ¡con su signo de pirata! ¿Podrás quitársela mientras está ciego por el polvo?

Sales como un rayo, le quitas la medalla del cuello y te vas corriendo por el túnel.

Barba Azul grita de rabia y te persigue junto con su banda.

Ve a la página 14

Rápidamente desatas las cuatro sogas y las tiras a un lado. Se rompió la maldición pirata y ahora ¡el tesoro es todo tuyo!

Polígono brinca de un lado a otro.

—¡Piezas de ocho, piezas de ocho! —grita.

Pero de repente escuchas pasos detrás de ti. Alguien está molesto porque resolviste este acertijo...

Ve a la página 25

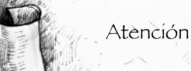

Miras el mapa para orientarte y ves algo escrito cerca de la entrada del túnel…

Atención

Necesitas tres signos para entrar aquí.

Si tienes los tres signos piratas, ve a la página 12

Si no tienes los tres signos piratas, ve a la página 14

Tiras del bote y éste choca contra una roca. ¡Se le va a abrir un hueco! De repente, pasa una gran ola que se lleva el bote de regreso a donde estaba.

Trata de resolver la resta otra vez. Recuerda que el 5 se convierte en 4 cuando conviertes el 1 en 11.

$$
\begin{array}{c c c c}
m & c & d & u \\
4 & 3 & \overset{4}{\cancel{5}} & \overset{1}{1} \\
\hline
4 & 3 & 2 & 7 \\
\end{array}
$$

Ve a la página 7 ☠

En medio de tu recorrido encuentras una grieta en el suelo. Te paras cuidadosamente en el borde y ves un río de lava, roja y muy caliente. ¡No puedes pasar al otro lado! De repente, ves unas piedras que sobresalen en medio de la lava. Parece un camino de piedras, pero ¿será seguro?

Buscas una pista alrededor. La encuentras en la primera piedra. Las otras tienen unas multiplicaciones.

Camina por las dos piedras que sean iguales a 6 × 6

5 × 6

3 × 12

7 × 5

5 × 8

9 × 6

9 × 4

8 × 4

Si te paras en las piedras 3 × 12 y 9 × 4, ve a la página 11

Si te paras en las piedras 9 × 6 y 8 × 4, ve a la página 42

Te volteas y ves que Barba Negra corre hacia ti con un sable en la mano.

—Si yo no pude resolver el acertijo, entonces nadie podrá —grita.

Polígono ve que estás en peligro y baja en picada para agarrar una soga. Luego vuela alrededor de Barba Negra y lo ata. ¡Estás a salvo!

Agarras un puñado de monedas de oro, pero ¿para qué te servirán? No es muy divertido sentarse en una montaña de oro que no es tuyo.

¡Barba Negra te lo puede decir! La libertad es más importante que cualquier otro tesoro en el mundo. Agarras una moneda de oro y la metes en el bolsillo para que te dé buena suerte, y luego te vas. Ahora estás seguro de que tú y tu nuevo amigo, Polígono, van a vivir muchas aventuras más.

FIN

El Túnel de la Destrucción está iluminado por antorchas abrasadoras. En él hay un olor fuerte, como de fuegos artificiales y huevos podridos. Una ráfaga de aire caliente te golpea la cara. Luego escuchas ruidos extraños que vienen desde lejos.

Un poco más adelante ves que hay una flecha y un mensaje en el suelo…

Hacia la mina

En la mina de Barba Azul hay bellos diamantes. Una multiplicación te llevará hasta allá. Siete por siete te mostrará el camino.

Barba Azul, ¡uno de los hermanos piratas! Vas a necesitar su signo para completar tu búsqueda. Luego, ves que cada antorcha en el muro tiene un número. Debes agarrar una de ellas para que te ilumine el camino.

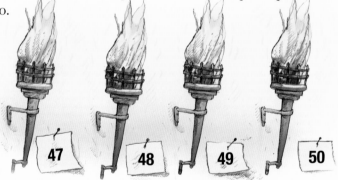

47   48   49   50

Si te llevas la antorcha 47, ve a la página 43   **Si te llevas la antorcha 49, ve a la página 6**

¡No contaste bien! El oso se está despertando y ¡va a atacarte! Pero alguien sigue contando por ti y el oso vuelve a dormirse. ¿Quién habrá sido? Si divides 500 entre 50, el resultado es 10. Tienes que dividir 500 entre 100 para que te dé 5.

Ve a la página 15

La vela se apaga y quedas a oscuras. ¡Escogiste el número incorrecto! Una de las líneas diagonales está completa: $9 + 9 + 2 = 20$, así que los números en las otras líneas deberían sumar también 20.

Escuchas un aleteo y luego un fósforo que enciende la vela. ¿Quién lo habrá hecho?

Ve a la página 28

Miras de cerca los nudos piratas.

—No podrás desatarlos sin los signos de mis hermanos —grita Barba Negra—. Ya lo intenté.

Ve a la página 15

Ahora el camino del túnel desciende abruptamente. El aire se hace más caliente y los ruidos se oyen cada vez mejor. Más adelante ves unas huellas en el suelo. Pero, ¿qué es eso que brilla? Es un sable en el suelo. ¡Barba Azul y su banda pasaron por aquí buscando los diamantes!

Sigues tu camino y de repente te detienes. Algo está bloqueando el túnel. Es una telaraña gigante y no hay manera de atravesarla. Luego, ves un mensaje en el polvo que hay en el suelo...

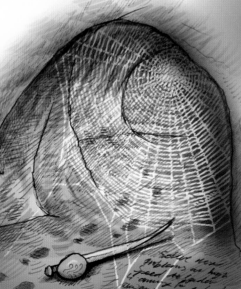

Encuentra los números que faltan para que la araña no te coma

$$35 \times 10 = \boxed{?}$$
$$35 \times \boxed{?} = 35{,}000$$

Si crees que los números que faltan son el 350 y el 1000, ve a la página 41

Si crees que los números que faltan son el 3500 y el 100, ve a la página 32

El túnel está tan oscuro como la noche. El único sonido que se escucha es el de tu corazón latiendo rápidamente. De repente, en algún lugar de esa oscuridad, ves un poco de luz y caminas hacia ella.

Es una vela que titila en una grieta en la pared del túnel. Luego, lees un mensaje en el hollín de la llama...

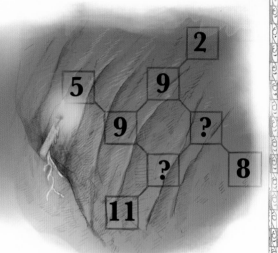

El signo que buscas no lo encontrarás
en tierra firme.
Necesitarás estos dos números
cuando encuentres a la tripulación pirata.

Los dos números que buscas
hacen que las líneas diagonales
tengan el mismo resultado.

Si crees que los números son 3 y 6, ve a la página 20

Si crees que los números son 4 y 7, ve a la página 27

¡Es el barril correcto! Le quitas el corcho y la miel comienza a gotear. Al rodar el barril vas dejando una estela de miel en el suelo. Continúas rodándolo hasta llegar a la guarida del oso y lo empujas hacia él.

El oso se despierta y huele la miel. Luego, sigue la estela de miel lamiéndola hambriento.

Ve a la página 33

No tengas miedo. Esta aventura es un desafío, pero vas a encontrar ayuda a tu alrededor. Cuando no puedas resolver un problema o estés en peligro, un amigo misterioso te guiará y te protegerá. Sólo sigue las instrucciones, una por una, para que descubras cuán lejos puedes llegar. ¡Te sorprenderá lo mucho que sabes! ¡Buena suerte!

Ve a la página 14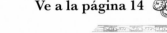

La cueva tiene dos salidas. Los rieles pasan por ambos caminos. ¿Cuál vía debes escoger? De repente, ves un mensaje detrás de la carretilla vieja...

¿Es 11 x 9 mayor o menor que 12 x 8? Escoge el signo que corresponde:

$$11 \times 9 \quad \boxed{?} \quad 12 \times 8$$

mayor que >: a la derecha
menor que <: a la izquierda

Si te vas por la derecha, ve a la página 43

Si te vas por la izquierda, ve a la página 5

 Cuando cuentas hasta 100, el oso comienza a roncar fuertemente. Aprovechas y te arrastras silenciosamente para salir de la guarida del oso.

Ve a la página 17

¡Escogiste el barril incorrecto! Este barril está lleno de clavos. Al rodarlo, los clavos hacen mucho ruido. Los piratas lo escuchan y miran alrededor. De repente, se escucha un fuerte chillido.

—Es el loro haciendo ruido —dice Barba Roja.

Después, ves que el loro de Barba Roja vuelve a dormirse y los piratas siguen discutiendo.

Trata de hacer el cálculo como en el ejemplo de abajo para ver qué resultado obtienes.

$$253 \div 11$$

Ve a la página 11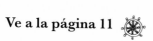

 Al lado de la losa, en la roca, hay una resta sin resolver. Quizás el resultado sea uno de los números que necesitas.

Ves un pedazo de gis, lo agarras y tratas de resolver el problema.

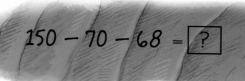

$$150 - 70 - 68 = \boxed{?}$$

Si escribes 18, ve a la página 42 ☠

Si escribes 12, ve a la página 7 ☠

 Subes al ascensor y mueves la palanca. La cabina desciende. Una aguja se mueve en un monitor y te muestra en qué nivel estás. Te detienes en el nivel 28 y abres la puerta. ¡Tomaste la decisión correcta! Las voces se escuchan cada vez mejor y puedes ver movimiento al final del pasillo.

Ve a la página 10

Miras el mapa y encuentras la entrada del Túnel del Desespero y una descripción...

Túnel del Desespero

Guarida de Barba Roja y
su tripulación.
Muchos le temen a la
hermandad pirata.
Entra si te atreves.

La entrada está enfrente de ti. Es estrecha y aterradora. Te preguntas si eres tan valiente como para entrar. De repente, una voz amigable dice tu nombre. Miras alrededor, pero lo único que ves es una pluma de colores que revolotea en el túnel, como si un ave acabara de entrar.
Te sientes más confiado e ingresas.

Ve a la página 21

Al principio el túnel desciende, pero luego vuelve a subir. Es un poco raro. Después escuchas un estruendo y ves que una roca gigante está rodando hacia ti. De repente, un fuerte chirrido atrae tu atención. Al voltear, ves una grieta angosta en la pared, perfecta para que te protejas adentro de ella. La roca roza la pared y sigue su camino.
Era el número incorrecto. Recuerda llevar los números cuando intentes resolver una multiplicación grande.

	m	c	d	u
		2	1	4
×				6
	1	2	8	4
	1		2	

Ve a la página 9

En los espacios en blanco escribes 3500 y 100. Una araña gigante aparece en la telaraña y se acerca a ti. De inmediato sacudes la telaraña y ésta retrocede.

¡Ésos son los números incorrectos! Al multiplicar por 10 estás agregando un cero al número; al agregar tres ceros a un número lo estás multiplicando por 1000.

¡Apúrate! Intenta resolver el problema otra vez.

Ve a la página 27

El capitán pirata está sentado a la mesa. Es Barba Gris, uno de los hermanos piratas, que también es un esqueleto. Sus huesudas manos están sobre el diario de navegación. Ves que en sus dedos lleva un gran anillo de oro, ¡que tiene su signo! Tratas de quitárselo, pero la mano está tiesa. De repente, ves una instrucción escrita en el diario...

Antes de darte mi anillo, dime el número de mi tripulación. Es el segundo número que falta en la serie de números que ya tienes.

Debe de estar hablando de los números que has encontrado a través del Túnel del Miedo y que están en tu libreta.

3, 6, 12, 24, 48

Si crees que el número de la tripulación es 96, ve a la página 18

Si crees que el número de la tripulación es 192, ve a la página 11

Lanzas la cuerda y llega sin problema al otro lado del abismo. El gancho de la cuerda se atasca en una grieta que está en la piedra. Compruebas que está bien asegurada y empiezas a deslizarte sujeto a ella con mucho cuidado. De repente, la cuerda comienza a deshilacharse ante tus ojos y se rompe. Te agarras fuertemente y te balanceas en el vacío. Por suerte, logras subir hasta el borde del abismo.

¡Qué susto! Escogiste la cuerda equivocada.

Ve a la página 8

El oso llega hasta la cueva de los piratas, ve toda la comida y ruge fuertemente.

Los piratas saltan como conejos asustados. Parece que no son tan valientes después de todo. Al ver que el gran oso se está acercando, sienten pánico. Luego, corren a través del túnel para salvar sus vidas mientras tú te escondes en la sombra. Barba Roja pasa enfrente de ti y su sombrero vuela desde su cabeza hasta tus manos. En el sombrero hay un broche de oro con un signo. ¡Es el signo de Barba Roja, uno de los hermanos piratas!

Ve a la página 7

Metes la llave 4 en la cerradura y ésta da vuelta con facilidad. ¡Es la llave correcta! Abres la reja y pasas. Algo te sigue y revolotea detrás de ti. ¿Qué será?

Ve a la página 19

En cada nudo pirata hay una etiqueta con una operación matemática, pero ¡faltan los signos! Ahora comprendes lo que tienes que hacer. Debes usar los signos piratas para completar las operaciones.

3 ? 12 = 15

54 ? 6 = 9

67 ? 40 = 27

13 ? 4 = 52

Sacas los signos y los miras. Luego, los colocas uno por uno al lado de cada nudo.

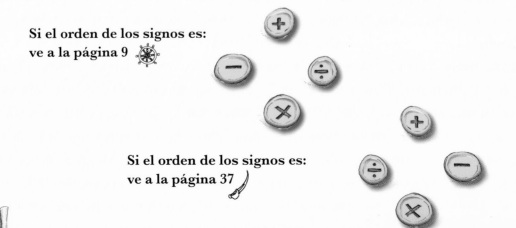

Si el orden de los signos es:
ve a la página 9

Si el orden de los signos es:
ve a la página 37

Agarras seis fósforos. Tratas de encender uno, pero se apaga antes de que puedas encender la lámpara y te quedas en la oscuridad.

Pruebas con otro fósforo. Se enciende y logras ver algo largo que está deslizándose hacia ti, y entonces la llama se apaga. Todavía puedes escuchar lo que te acecha. Luego el tercer fósforo también se apaga. Quizás agarraste muchos fósforos.

Para distribuir 24 entre 6, debes hacer una división $(24 \div 6 = 4)$.

Regresas dos fósforos a la caja y enciendes la lámpara con el último que te queda. Al iluminar el túnel, observas que algo se aleja deslizándose en la distancia.

Ve a la página 36

Ve a la página 36

Al acercarte al barco, escuchas cantos y risas. Los piratas están a bordo, pero de repente todo queda en silencio.

Remas hacia un lado del barco en donde hay una escalera de cuerdas. Subes silenciosamente, llegas hasta la cubierta y miras alrededor. No hay ningún pirata, sólo esqueletos vestidos con viejos trajes piratas. ¡La tripulación pirata murió hace mucho tiempo!

Quizá te imaginaste los ruidos.

Ahora debes encontrar los signos de los hermanos piratas.

Ve a la página 6

35

Con la lámpara ves que el túnel se divide en varios caminos. Las paredes están cubiertas de jeroglíficos. ¡Aquí vivió gente hace mucho tiempo! Hay dibujos de animales y cazadores con lanzas. También hay huellas de manos humanas. Entre los dibujos ves un mensaje...

Éste fue nuestro hogar,
pero ya no estamos solos.
Los piratas vienen de noche
para aquí esconder su botín.

Saca a los piratas de su guarida
y volveremos a descansar en paz.
El signo pirata será tuyo
si Barba Roja se asusta
con unas garras afiladas.

Ve a la página 4

Al final de las escaleras de piedra hay una cueva llena de charcos profundos, oscuros y fríos. No hay manera de pasarlos. De repente, ves unas tablas. Debes usarlas para pasar los charcos, pero ¿cuántas vas a necesitar?

Alguien escribió algo en una de las tablas...

Ancho de la cueva: 80 metros
Largo de las tablas: 5 metros cada una

Si agarras muchas tablas, no podrás cargarlas. Si agarras sólo unas cuantas, no podrás pasar.

Si necesitas 16 tablas, ve a la página 13

Si necesitas 18 tablas, ve a la página 37

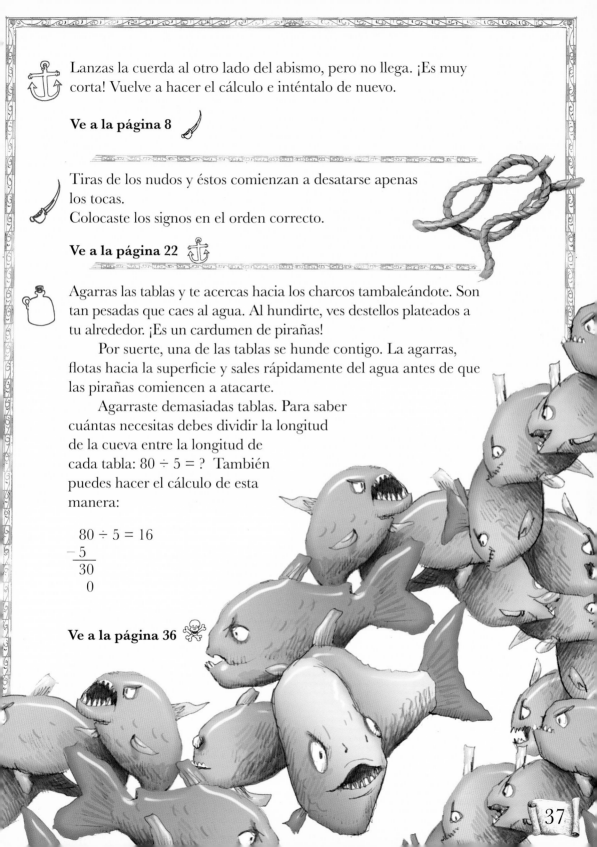

Lanzas la cuerda al otro lado del abismo, pero no llega. ¡Es muy corta! Vuelve a hacer el cálculo e inténtalo de nuevo.

Ve a la página 8

Tiras de los nudos y éstos comienzan a desatarse apenas los tocas.
Colocaste los signos en el orden correcto.

Ve a la página 22

Agarras las tablas y te acercas hacia los charcos tambaleándote. Son tan pesadas que caes al agua. Al hundirte, ves destellos plateados a tu alrededor. ¡Es un cardumen de pirañas!

Por suerte, una de las tablas se hunde contigo. La agarras, flotas hacia la superficie y sales rápidamente del agua antes de que las pirañas comiencen a atacarte.

Agarraste demasiadas tablas. Para saber cuántas necesitas debes dividir la longitud de la cueva entre la longitud de cada tabla: $80 \div 5 = ?$ También puedes hacer el cálculo de esta manera:

$$80 \div 5 = 16$$
$$\begin{array}{r} -\ 5 \\ \hline 30 \\ 0 \end{array}$$

Ve a la página 36

Tiras 24 eslabones de la cadena. El bote se acerca y te subes a él. Antes de desamarrar el bote, escribes el número de eslabones en tu libreta.

Luego agarras los remos y remas con la corriente.

Ve a la página 12

3, 6, 12, 24

Tienes razón, los piratas están usando demasiada pólvora ($3.5 \times 14 = 49$). 49 kg es casi el doble de la cantidad recomendada. ¡El túnel va a desaparecer!

Los piratas terminan de colocar los barriles y Barba Azul está a punto de encender la mecha. ¡Apúrate, tienes que detenerlo!

De repente, escuchas un aleteo y te arrebatan las instrucciones de la pólvora. Justo cuando Barba Azul se agacha para encender la mecha, el papel revolotea ante sus ojos. Lo lee sobresaltado y se da cuenta del peligro.

Luego le ordena a la banda que quite la mitad de los barriles. Cuando terminan, Barba Azul se agacha, enciende la mecha y corre buscando protección.

Ve a la página 22

Este túnel es corto. Después de pocos pasos llegas a una cueva. ¡Todo es muy brillante! Ves el cofre y la cueva llena de oro. Y en el centro de tanta riqueza está el pirata más temible que jamás hayas visto. Sus ojos, dientes y barba son negros, y parece que se siente solo y triste.

Te acercas, y Barba Negra te mira.

Ve a la página 43

Sin darte cuenta dices "¡incorrecto!". Por suerte los piratas están discutiendo tan fuerte que no te escuchan, aunque uno de ellos mira alrededor y casi te descubre.

¡Pero eres tú el que está equivocado! El cálculo de Barba Roja es correcto.

$$200 \div 15 = 13$$
$$\underline{-15}$$
$$50$$
$$\underline{-45}$$
$$5 \text{ residuo}$$

Ve a la página 17

Caminas a lo largo del borde, el cual se pone cada vez más estrecho. Tu corazón late muy fuerte. De repente, no sientes nada bajo tus pies porque ¡llegaste al final del borde!

Pierdes el equilibrio y estás a punto de caerte, pero por suerte logras mantenerte de pie en la roca.

Escogiste la dirección incorrecta. El resultado de la suma de la "derecha" es 7890. Busca el resultado de la "izquierda" y comprueba si es mayor.

Ve a la página 13

Más adelante, el camino vuelve a ser angosto. Al final, ves una luz que titila, escuchas voces y el tintineo de unas monedas. ¡Son los piratas que están repartiendo el botín!

Caminas pegado a la pared del túnel y te diriges silencioso hacia la luz. De repente sientes una abertura a un lado. Es un camino que no habías visto. Te metes y miras alrededor.

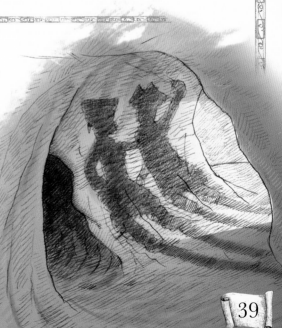

Ve a la página 15

¡Te equivocaste! Hay 14 barriles con 3.5 kg de pólvora cada uno. Debes calcular el resultado de 3.5 × 14.

$3.5 × 10 = 35$ y $3.5 × 4 = 14$, así que $3.5 × 14 = 35 + 14 = 49$. 49 kg es casi el doble de la cantidad recomendada. ¡El túnel va a desaparecer!

Ve a la página 10

Te vas por la izquierda y sigues el camino, el cual se va poniendo cada vez más estrecho. El suelo está cubierto de rocas que caen desde arriba. De repente, escuchas un ruido fuerte. ¡Es un deslizamiento de piedras! Tu lámpara se apaga en medio del polvo, pero luego escuchas un chillido que te guía por un camino seguro.

¡Escogiste la dirección incorrecta! El decimal 0.4 es igual a 40%, pero la fracción ¹/₄ es igual a 25% o 0.25.

Ve a la página 4

Escribes el número 52 en tu libreta, pero de alguna manera no parece correcto. De repente, un tentáculo baboso sale del barril y se desliza hacia tu pierna.

Pateas el barril hacia el agua justo a tiempo. Ves las burbujas que deja mientras se hunde en las oscuras aguas.

Tachas el 52. Era el número incorrecto.

Ve a la página 12

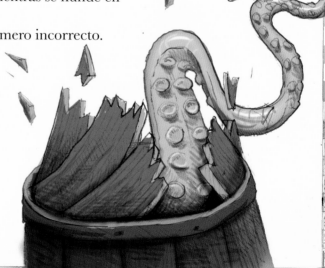

¡Es el pasadizo incorrecto! El camino está completamente bloqueado y los piratas están cerca.

Un estimado para 39 x 61 es 40 x 60 = 2400. Usa tu calculadora y verifica que 39 x 61 está más cerca de 2400 que de 2500.

Ve a la página 14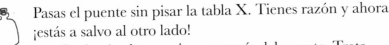

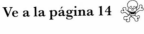

Pasas el puente sin pisar la tabla X. Tienes razón y ahora ¡estás a salvo al otro lado!

Barba Azul te persigue a través del puente. Trata de no pisar la tabla Y, pero se para en la tabla X (su cálculo matemático no es tan bueno como el tuyo). La tabla se parte y el puente colapsa. Barba Azul queda suspendido en el aire pero logra subir el puente hasta llegar a la entrada del pasadizo.

Ve a la página 8

En los espacios en blanco escribes 350 y 1000. Ves una pata peluda en la telaraña. Por un momento piensas que te equivocaste, pero luego la pata tira de un hilo y se abre un hueco en la telaraña. Aprovechas y pasas a través del hueco rápidamente. ¡Eran los números correctos!

Ve a la página 9

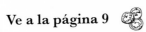

¡Es la dirección correcta! Caminas por el borde, el cual se va ensanchando poco a poco hasta que es más fácil caminar. Los latidos de tu corazón vuelven a la normalidad.

Luego ves una abertura en la piedra. Es una entrada, pero está cerrada por una reja de hierro oxidada y un candado.

Ve a la página 16

 ¡Escribiste el número incorrecto! Unos murciélagos se lanzan en picada hacia ti. ¡Se están acercando cada vez más! De repente, un aleteo de plumas brillantes los espanta. ¿Qué sería?

Si restas 70 a 150, el resultado es 80. ¿Cuál es entonces el resultado de 80 – 68?

Ve a la página 30

 Bajas por el túnel rápidamente. Puedes ver que adelante hay una cueva grande llena de herramientas de minería. Hay picos, palas, varios troncos y una vieja carretilla oxidada para llevar piedras. Tomaste la decisión correcta.

Ve a la página 29

Te paras en la piedra 8 x 4 y ésta comienza a moverse. ¡Te vas a caer en la lava! Cuando estás a punto de perder el equilibrio, unas garras te sostienen. Te recuperas y saltas a la piedra 6 x 6. ¿Quién te estará ayudando?

$6 \times 6 = 36$. Las piedras que necesitas pertenecen a la tabla del 12 y del 4.

Ve a la página 23

Cuando agarras la antorcha, su llama titilea y se apaga. Las otras antorchas también comienzan a apagarse. ¡Vas a quedar atrapado en la oscuridad!

Colocas la antorcha en su lugar otra vez y las otras vuelven a alumbrar. $6 \times 7 = 42$. ¿Cuál es el producto de 7×7?

Ve a la página 26

Te subes a la carretilla de la derecha y arrancas. Bajas y entras en un túnel estrecho. ¡Vas por el camino correcto! Todo parece abandonado. Quizá ya no hay más diamantes en la mina. De repente, comienzas a escuchar unas voces. ¡Los piratas están por allá!

Ve a la página 20

—¡Bienvenido, compañero, ven a compartir mi oro! —dice Barba Negra.

Ves una brocha de oro en el cinturón que tiene Barba Negra en el pecho. ¡Es el cuarto signo pirata! Pero Polígono agita sus alas y grita:

—¡No te acerques, no te acerques!

En ese momento ves al pirata atrapado dentro de cuatro aros de soga. Las puntas de cada una de las sogas están unidas por cuatro nudos. Un mensaje clavado en el barril lo explica todo.

La maldición pirata
Puedes quedarte con el botín
si estás dentro de los aros piratas,
pero en polvo te convertirás si los atraviesas
y todo tu oro desaparecerá.

No podrás salir
si los nudos atados están.

Barba Negra quiere engañarte para que te metas en los aros y él pueda escapar.

Ve a la página 27

Glosario de cálculo aritmético

suma

Cuando sumas, añades números y buscas el total de ellos. El signo de la suma es +. Algunas personas aprenden a sumar contando. Si tienes el número siete y cuentas tres, el resultado es diez. Le sumaste tres a siete. Cuando te familiarices más con las sumas sabrás fácilmente que siete más tres es diez.

Puedes sumar números más grandes colocando los números de esta manera:

	m	c	d	u
	4	4	1	5
+	3	5	3	6
	7	9	5	1
				1

decimal

Decimal quiere decir grupos de diez unidades. El número decimal 12.5 tiene 1 decena, 2 unidades y 5 décimas. El dígito que está después del punto decimal no es un número entero, sino una fracción. La fracción del decimal 0.6 es igual a "seis décimas" o $^6/_{10}$.

división

Cuando divides un número quieres saber cuántas veces ese número puede ser distribuido o dividido por otro número. El signo de la división es ÷. Cuando aprendas las tablas de multiplicar podrás dividir y multiplicar con facilidad. Si sabes que 4 x 5 = 20, entonces también sabes que 20 ÷ 4 = 5.

Cuando el resultado de una división no es exacto, se dice que hay un residuo: 9 ÷ 4 = 2, el residuo es 1.

Puedes dividir números más grandes (por ejemplo 200 ÷ 15) a través de una larga división como ésta:

$$200 \div 15 = 13$$
$$\underline{-15}$$
$$50$$
$$\underline{-45}$$
$$5 \text{ residuo}$$

dobles

Cuando doblas un número lo estás multiplicando por 2. Es igual que sumar el número por sí mismo dos veces. Por ejemplo:

el doble de ocho = $2 \times 8 = 16$
el doble de ocho = $8 + 8 = 16$

estimar/estimación

Cuando tienes que resolver un gran cálculo aritmético, como 103 x 29, es mejor hacer una estimación del resultado antes de comenzar. De esta manera tendrás una referencia en caso de que te equivoques al calcular. Un estimado es un cálculo rápido que te da un resultado aproximado al exacto.

Para hacer un estimado, redondea los números para que sea más sencillo trabajar con ellos. Un estimado de 103×29 es $100 \times 30 = 3000$. El resultado verdadero es 2987.

fracción

Una fracción es un número menor que uno. Una mitad es una fracción. La mitad de una pizza es menos que la pizza entera.

La fracción $^3/_{10}$ quiere decir que una unidad entera está dividida en diez partes iguales y que hemos tomado tres partes de ese todo. A una fracción escrita de esta manera ($^3/_{10}$) se le llama fracción. También podemos escribir fracciones como números decimales (0.3 en este caso).

$$\frac{3}{10} = 0.3$$

Tres décimas de la figura son grises.

Para convertir una fracción en una fracción decimal, divide el numerador (el número encima de la raya) entre el denominador (el número debajo de la raya). Usa una calculadora o haz una división.
$\frac{1}{4} = 1 \div 4 = 0.25$

multiplicación

Multiplicar es sumar repetidas veces. Cuando multiplicas seis por cuatro estás aumentando el número seis cuatro veces: cuatro por seis es veinticuatro. El signo de la multiplicación es x. Si aprendes las tablas de multiplicar del 1 al 10, sabrás multiplicar dos números cualquiera hasta 10 x 10. Puedes multiplicar números más grandes de esta manera:

m	c	d	u
	2	1	4
×			6
1	2	8	4
	1		2

recta numérica

Muestra los números de manera equitativa y en orden. En esta línea podemos ver que 50 está en la mitad entre 0 y 100, así que 50 es la mitad de 100. Las líneas de números también ayudan para hacer cálculos.

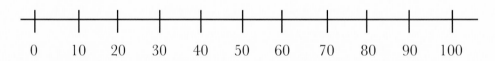

0   10   20   30   40   50   60   70   80   90   100

porcentaje

Un porcentaje es otra manera de representar fracciones. El uno por ciento de algo es una centésima parte. El símbolo de porcentaje es %. El cien por ciento (100%) es el todo. El cincuenta por ciento (50%) es igual a cincuenta centésimas, es decir, la mitad. El diez por ciento (10%) es diez centésimas, que a su vez es igual a una décima. Cuando divides algo en partes, la suma del porcentaje de las diferentes partes debe ser igual a 100%, es decir, el todo.

Para convertir una fracción decimal o una fracción en un porcentaje debes multiplicarla por 100.

$$0.5 = \frac{1}{2} \times 100\% = 50\%$$

$$0.4 = \frac{2}{5} \times 100\% = 40\%$$

resta

     Restar es quitarle un número a otro. El resultado es la diferencia entre los números. El signo de la resta es −. También puedes restar contando hacia atrás. Si tienes el número siete y cuentas tres números menos, el resultado es cuatro. Le restaste tres a siete. Cuando te familiarices más con las restas sabrás fácilmente que siete menos tres es cuatro.

     Puedes restar números grandes de esta manera:

$$
\begin{array}{cccc}
m & c & d & u \\
4 & 3 & {}^4\!\not{5} & {}^1 1 \\
-\ 4 & 2 & 2 & 7 \\
\hline
 & 1 & 2 & 4 \\
\hline
\end{array}
$$

tabla de multiplicar

Para ser bueno en matemáticas debes aprenderte las tablas de multiplicar, así será más fácil y rápido resolver multiplicaciones. Esta tabla de multiplicar contiene las tablas del 1 al 10. Si quieres saber el resultado de 6 × 8, buscas el seis en la fila de arriba y el 8 en la columna de la izquierda. El resultado es el número donde el 6 y el 8 coinciden.

×	1	2	3	4	5	6	7	8	9	10
1	1	2	3	4	5	6	7	8	9	10
2	2	4	6	8	10	12	14	16	18	20
3	3	6	9	12	15	18	21	24	27	30
4	4	8	12	16	20	24	28	32	36	40
5	5	10	15	20	25	30	35	40	45	50
6	6	12	18	24	30	36	42	48	54	60
7	7	14	21	28	35	42	49	56	63	70
8	8	16	24	32	40	**48**	56	64	72	80
9	9	18	27	36	45	54	63	72	81	90
10	10	20	30	40	50	60	70	80	90	100

Nota para padres y maestros

La serie Aventuras Matemáticas ha sido diseñada para motivar a los niños a desarrollar y aplicar sus destrezas matemáticas a través de la lectura de aventuras interesantes. La historia en el libro se desarrolla como un juego en el cual los niños deben resolver problemas de matemáticas para poder avanzar en la trama y llegar hasta el interesante final.

El texto no se desarrolla de manera convencional. El lector debe saltar de una página a otra dependiendo de sus respuestas a los problemas planteados. Si la respuesta es correcta, el lector avanza en el cuento; si es incorrecta, se le explica en dónde se equivocó para que intente resolver el problema nuevamente. Además, al final del libro hay un glosario que ayudará a los niños a entender los conceptos de matemáticas que aparecen en el libro.

Para ayudar al niño a desarrollar sus destrezas matemáticas:

- Lea el libro con el niño.

- Resuelva los primeros problemas para que se familiarice con el libro.

- Continúe leyendo con el niño hasta que éste entienda cómo funciona el libro y pueda seguir la instrucción de **Ve a** para resolver o entender los problemas.

- Incentive al niño a leer solo. Motívelo a adivinar lo que va a suceder en la historia. Pídale que le relate la trama y le diga qué problemas resolvió.

- Relacione los números con las actividades diarias que haga con el niño: cuando va de compras, llena el tanque de gasolina, cuando viaja, sigue un recetario, use las tablas de multiplicar, etc.

- Inventen secuencias de números. Cuenten de 2 en 2, de 3 en 3, de 4 en 4, y así sucesivamente. Pregúntele al niño la tabla de multiplicar para pasar el tiempo. Cuenten los números al revés, doblen números, divídanlos, elévenlos al cuadrado, etc. Jueguen a "Tengo un número en la cabeza, adivina cuál es", y hágale preguntas a su niño como: ¿es un número par o impar?, ¿mayor que 100?, ¿cuántos dígitos tiene?, etc.

- Juegue juegos de computadora relacionados con números. Los gráficos y la animación captarán la atención del niño mientras practica conceptos básicos de matemáticas.

- Y lo más importante de todo, ¡diviértanse aprendiendo matemáticas!